YCT

图解词汇手册（二级）

Graphic YCT Vocabulary (Level II)

姜丽萍 / 主编
曹钢 陈昕 张燕 宋秋菊 杜娟芳 李盼 张婷婷 / 编著

© 2020 北京语言大学出版社，社图号 20100

图书在版编目（CIP）数据

YCT图解词汇手册. 二级 ／ 姜丽萍主编；曹钢等编著. -- 北京：北京语言大学出版社，2020.9
ISBN 978-7-5619-5707-3

Ⅰ．①Y… Ⅱ．①姜… ②曹… Ⅲ．①汉语－对外汉语教学－水平考试－教学参考资料 Ⅳ．① H195.4

中国版本图书馆 CIP 数据核字 (2020) 第 133438 号

YCT图解词汇手册（二级）
YCT TUJIE CIHUI SHOUCE (ER JI)

责任编辑：	黄　英　王雪飞
封面设计：	乔　剑
排版制作：	李　越
责任印制：	周　燚

出版发行：	北京语言大学出版社
社　　址：	北京市海淀区学院路 15 号，100083
网　　址：	www.blcup.com
电子信箱：	service@blcup.com
电　　话：	编辑部　8610-82303392
	国内发行　8610-82303650/3591/3648
	海外发行　8610-82303365/3080/3668
	北语书店　8610-82303653
	网购咨询　8610-82303908
印　　刷：	北京博海升彩色印刷有限公司

版　次：	2020 年 9 月第 1 版		
印　次：	2020 年 9 月第 1 次印刷		
开　本：	889 毫米 × 1194 毫米 1/24	**印　张：**	6.25
字　数：	82 千字		
定　价：	88.00 元		

PRINTED IN CHINA

前言

《YCT图解词汇手册》系列图书根据孔子学院总部/国家汉办编制的《YCT考试大纲与应考指南》（2016版）（一级—四级）进行编写，目的是帮助中小学汉语学习者尽快理解和掌握YCT各级词汇，以便在考试和交际中能正确、得体地进行运用。本手册具有如下特点：

1. 《YCT图解词汇手册》包含了YCT大纲一至四级的全部词汇，一级一册，级别清晰，循序渐进。

2. 每个词条由词语基本信息、词组（一级无）、例句和练习几部分构成。（1）词语基本信息包括：汉字、拼音、英语释义和词性。（2）词组部分均以图片形式呈现，以加深学生对词条的理解。（3）每个词条提供两个例句，力求体现词语的不同使用情境和用法；每个例句均由本级别内的词语组成，长度随着等级的提高而增加，难度合理。（4）练习设计参考了YCT考试题型，但比考试题型更加多样，包括读句子选择图片、看图片选择词语、判断对错、连线、连词成句等多种形式。题目内容涵盖饮食、娱乐、运动、健康、家务、人际交往、交通出行、学习等多方面，进一步帮助学生熟悉和了解不同的话题。

3. 书中使用了大量图片。选图时遵循以下原则：（1）充分利用图片直观性、形象性、生动性的特点，使词语的意义和使用情境相互融合，易于理解，且富有趣味，符合中小学生的心理认知特点和学习习惯，以期引起他们的兴趣，调动其学习积极性。（2）以YCT话题大纲为依据，围绕中小学生的日常生活、学习、自然、文化等内容，以学生的视角进行图片筛选。

4. 本套图书的"图解"特点主要体现在三个方面：（1）在词语基本信息中，运用图片解释词语的意义；（2）在词组或例句中，借助图片表现词语的使用情境；（3）在练习中，结合图片编制形式丰富的练习题，进一步加深学习者对词语意义、用法和使用情境的认识。

  本书由北京语言大学姜丽萍担任主编，负责全书体例、样例的设计及书稿的审定工作，四个分册的主要编者分别是高扬（一级）、曹钢（二级）、陈昕（三级）、于淼（四级）。此外，也要特别感谢北语社编辑的专业加工，为书稿锦上添花！

姜丽萍
2019年4月于北京

Preface

The series of *Graphic YCT Vocabulary* is designed on the basis of *YCT Test Syllabus & Guide* (2016 Edition) (Levels I-IV) compiled by Confucius Institute Headquarters/Hanban, aiming to help Chinese language learners in primary and secondary schools understand and master YCT vocabulary at all levels as soon as possible so that they can correctly and appropriately use YCT vocabulary in their examinations and communication. This handbook has the following characteristics:

1. *Graphic YCT Vocabulary* contains all the vocabulary words of Levels I-IV in the YCT syllabus. With one book for each level, the four levels are clearly marked and progress from one to another step by step.

2. Each entry consists of the basic information of the word, phrases (except Level I), example sentences and exercises. (1) Basic information of the word includes: the Chinese character, its *pinyin*, English definition and part of speech. (2) Each phrase is presented in (the form of) a picture to enhance students' understanding of the entry. (3) Each entry provides two example sentences in an attempt to reflect the different situations and usages of the word; each example sentence is composed of words within the current level, its length increasing with the level and its difficulty being reasonable. (4) The exercises are designed referring to the YCT question types, but they come in more diverse forms than the test questions, including choosing the pictures based on the sentences, choosing the words based on the pictures, true-or-false question, matching, and making sentences with the words, etc. The themes cover diet, entertainment, sports, health, housework, interpersonal communication, transportation, and study among other aspects to further familiarize students with different topics.

3. A lot of pictures are used in the book. The following principles are observed in the selection of pictures. (1) Visual, figurative and vivid pictures are made full use of to integrate the meanings of the words with the situations they are used in

and make the words easy to understand and interesting, which is in line with the psychological and cognitive characteristics and learning habits of primary and secondary school students, endeavoring to arouse students' interest and mobilize their enthusiasm for learning. (2) Based on the YCT topic syllabus, the pictures focus on primary and secondary school students' daily lives, study, nature, culture, etc., and are chosen from students' perspectives.

4. The "graphic" characteristics of this series of books are mainly reflected in three aspects: (1) using pictures to explain the basic information of the words; (2) using pictures to show the situations where the words are used in phrases or example sentences; (3) integrating pictures into diverse exercises to enhance the learners' understanding of the meanings, usages and appropriate situations of the words.

Jiang Liping at Beijing Language and Culture University, as the lead author of the series, is responsible for the design of the style, sample design and the review of the manuscripts. The main authors of the four volumes are Gao Yang (Level I), Cao Gang (Level II), Chen Xin (Level III), and Yu Miao (Level IV) respectively. Special thanks also go to the editors of Beijing Language and Culture University Press for their professional copy editing which has made the final manuscripts even better.

Jiang Liping
April 2019, Beijing

Contents 目录

01	Běi jīng 北京	2
02	běn 本	4
03	bǐ 比	6
04	bú kè qi 不客气	8
05	chá 茶	10
06	dǎ diàn huà 打电话	12
07	dì di 弟弟	14
08	diàn shì 电视	16
09	duì bu qǐ 对不起	18
10	duō shao 多少	20
11	fáng jiān 房间	22
12	fēn zhōng 分钟	24
13	Hàn yǔ 汉语	26
14	hǎo chī 好吃	28
15	hóng 红	30
16	huà 画	32
17	huáng 黄	34
18	huì 会	36
19	jué de 觉得	38

20	kě yǐ 可以	40
21	kuài 块	42
22	lái 来	44
23	le 了	46
24	lěng 冷	48
25	lǐ miàn 里面	50
26	liǎng 两	52
27	lǜ 绿	54
28	mǎi 买	56
29	méi guān xi 没关系	58
30	méi yǒu 没有	60
31	mèi mei 妹妹	62
32	ne 呢	64
33	nián 年	66
34	niǎo 鸟	68
35	péng you 朋友	70
36	piào liang 漂亮	72
37	qǐ chuáng 起床	74
38	qiān bǐ 铅笔	76

39	qián 钱	78
40	qǐng 请	80
41	rè 热	82
42	shàng bian 上边	84
43	shū bāo 书包	86
44	shuì jiào 睡觉	88
45	shuō huà 说话	90
46	tiān qì 天气	92
47	tóng xué 同学	94
48	wán 玩	96
49	wǎn shang 晚上	98
50	xià 下	100
51	xiāng jiāo 香蕉	102
52	xiě 写	104
53	xué shēng 学生	106
54	xué xí 学习	108

55	yán sè 颜色	110
56	yào 要	112
57	yě 也	114
58	yī shēng 医生	116
59	yī yuàn 医院	118
60	yǐ zi 椅子	120
61	zǎo shang 早上	122
62	zěn me 怎么	124
63	zěn me yàng 怎么样	126
64	zhēn 真	128
65	zhǐ 只	130
66	zhuō zi 桌子	132
67	zì 字	134
68	zuó tiān 昨天	136
69	zuò 坐	138
70	zuò 做	140

YCT

图解词汇手册（二级）

Graphic YCT Vocabulary (Level Ⅱ)

01

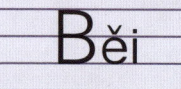

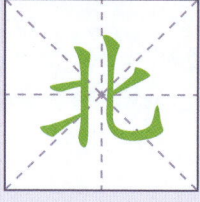

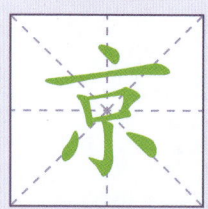

noun

Beijing, the capital of China

1 qù Běijīng
去北京
to go to Beijing

2 Běijīng de tiānqì
北京 的天气
the weather in Beijing

例句

1. Mèimei shì zài Běijīng xué de Hànyǔ.
妹妹 是在 北京 学 的 汉语。
My younger sister learned Chinese in Beijing.

2. Wǒ hěn xǐhuan Běijīng.
我 很 喜欢 北京。
I like Beijing very much.

YCT

图解词汇手册（二级）

Graphic YCT Vocabulary (Level II)

01

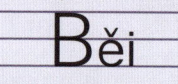

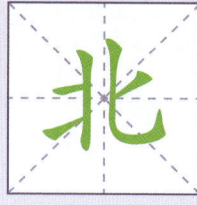

noun

Beijing, the capital of China

1 qù Běijīng
去北京
to go to Beijing

2 Běijīng de tiānqì
北京 的天气
the weather in Beijing

例句

1. Mèimei shì zài Běijīng xué de Hànyǔ.
妹妹 是在 北京 学 的 汉语。
My younger sister learned Chinese in Beijing.

2. Wǒ hěn xǐhuan Běijīng.
我 很 喜欢 北京。
I like Beijing very much.

B 北京

1. Read the word and choose the right picture.

Běijīng
北京

A

B

C

2. Read the dialogue and choose the right picture.

Bàba qù nǎr le?
A: 爸爸去哪儿了？

Tā Xīngqīwǔ qù Běijīng le, yào qù yí gè yuè.
B: 他星期五去北京了，要去一个月。

A

B

C

02

běn

本

measure word

a measure word usually used for books

1 yì běn shū
一本 书
a book

2 jǐ běn shū
几本 书
a few books

例句

1. Nà běn hóngsè de shū shì wǒ de.
   那本 红色的书是我的。
   That red book is mine.

2. Zhège yuè wǒ kànle liǎng běn shū.
   这个 月我看了 两 本 书。
   I read two books this month.

1. Matching

sì běn shū
四 本 书

yì zhī māo
一 只 猫

liǎng kuài miànbāo
两 块 面包

2. Read and draw.

Zhuōzi shang yǒu yì běn shū.
桌子 上 有一本 书。

03

比 bǐ

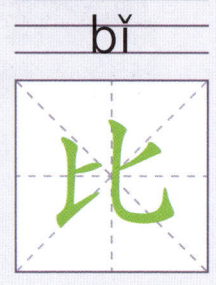

preposition

than (a comparison marker)

1 bǐ wǒ gāo
比我高
taller than me

2 bǐ tā xiǎo
比它小
smaller than it

例句

1. Jīntiān bǐ zuótiān lěng duō le.
今天比昨天冷多了。
Today is much colder than yesterday.

2. Tā bǐ wǒ dà yí suì, gèzi yě bǐ wǒ gāo.
他比我大一岁,个子也比我高。
He is one year older than me and also taller than me.

B 比

1. Read the sentence and choose the right picture.

Bàba bǐ māma gāo, māma bǐ wǒ gāo.
爸爸比妈妈高，妈妈比我高。

A    B    C

2. Read the children's song.

Líng bǐ èr xiǎo, sì bǐ èr dà.
零 比二 小， 四比二大。
Zero is smaller than two, and four is bigger than two.

Sān bǐ wǔ xiǎo, sì bǐ yī dà.
三 比五 小， 四比一大。
Three is smaller than five, and four is bigger than one.

Jǐ bǐ jǐ xiǎo? Jǐ bǐ jǐ dà?
几比几小？几比几大？
Which is smaller, and which is bigger?

Wǒmen lái bǐ yi bǐ, shuō yi shuō.
我们 来比一比，说 一 说。
Let's compare and say.

04

不客气

bú
不

kè
客

qi
气

phrase

not at all, you are welcome

1

A: Zhēn piàoliang! Xièxie bàba!
真 漂亮！谢谢爸爸！
It's really beautiful! Thank you, Dad!

B: Bú kèqi!
不客气！
You are welcome!

2

A: Xièxie nǐ de píngguǒ!
谢谢你的苹果！
Thank you for your apple!

B: Bú kèqi, duō chī diǎnr!
不客气，多吃点儿！
You are welcome. Eat more!

B 不客气

1. Choose the right answers.

A: Nǐ zuò de fàn hěn hǎochī,
你做的饭很好吃，＿＿＿＿！

B: ＿＿＿＿。

A　xièxie nǐ
　谢谢你

B　bú kèqi
　不客气

2. Read the children's song.

Jiànmiàn shuō "nǐ hǎo",
见面　说"你好"，
Say "hello" when you meet,

Fēnshǒu shuō "zàijiàn".
分手　说"再见"。
Say "goodbye" when you part.

Dédào bāngzhù shuō "xièxie",
得到　帮助　说"谢谢"，
Say "thank you" when you get help,

Huídá yào shuō "bú kèqi".
回答要　说"不客气"。
And say "you are welcome" as your reply.

05

chá

茶

noun

tea

1. rè chá
   热茶
   hot tea

2. hē chá
   喝茶
   to drink tea

例 句

1. Nǐ hǎo! Tā yào niúnǎi, wǒ yào chá.
   你好！她要牛奶，我要茶。
   Hello! She'd like milk, and I'd like tea.

2. Wǒ xǐhuan hē Zhōngguó de lǜchá.
   我喜欢喝中国的绿茶。
   I like drinking Chinese green tea.

茶

1. Read the sentence and choose the right picture.

Bàba xǐhuan hē chá, māma yě xǐhuan hē chá.
爸爸 喜欢 喝 茶, 妈妈 也 喜欢 喝 茶。

A

B

C

2. Make a sentence.

① jīntiān 今天

② qù 去

③ bàba 爸爸

④ wǒ 我

⑤ hé 和

⑥ hē chá 喝茶

06

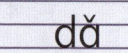
dǎ
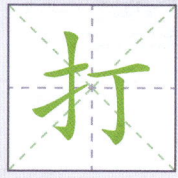

diàn

huà

phrase

to call, to make a phone call

1 Qǐng búyào shuōhuà, tā zài
请 不要 说话，他在
dǎ diànhuà.
打 电话。
Please don't talk. He is on the phone.

2 Wǒ zài hé péngyou dǎ diànhuà.
我 在 和 朋友 打 电话。
I'm talking on the phone with a friend.

D 打电话

1. Read the sentence and choose the right picture.

Dìdi xǐhuan dǎ diànhuà.
弟弟喜欢打电话。

A  B  C

2. Choose the right answer.

Nǐ hé shéi dǎ diànhuà?
A: 你和谁打电话？

B: _____。

Wǒ zài hé tóngxué dǎ diànhuà.
A 我在和同学打电话。

Wǒ qù yīyuàn kànle yí gè péngyou.
B 我去医院看了一个朋友。

Nǐ zěnme bù chī píngguǒ?
C 你怎么不吃苹果？

13

07

dì

di

noun

younger brother

1. jiějie hé dìdi
   姐姐和弟弟
   elder sister and younger brother

2. wǒ de dìdi
   我的弟弟
   my younger brother

例句

1. Wǒ yǒu liǎng gè dìdi, yí gè wǔ suì, yí gè sān suì.
   我有两个弟弟，一个五岁，一个三岁。
   I have two younger brothers. One is five and the other is three.

2. Dìdi zài fángjiān li wánr.
   弟弟在房间里玩儿。
   My younger brother is playing in the room.

1. Read and color.

Jiějie de shūbāo shì hóngsè de,
姐姐的 书包 是 红色 的,

dìdi de shūbāo shì lǜsè de.
弟弟的 书包 是绿色的。

2. True or false?

Wǎnshang, māma hé dìdi zài fángjiān lǐmiàn kàn shū.
晚上, 妈妈和弟弟在 房间 里面看 书。

☐ T

☐ F

08

diàn
电

shì
视

noun

television (TV)

1. kàn diànshì
看 电视
to watch TV

2. lǎo diànshì
老 电视
old TV

例句

1. Nǐmen jiā de diànshì zhēn dà a!
你们 家的 电视 真 大啊!
The TV in your home is so big!

2. Zhè shì bàba mǎi de diànshì.
这 是爸爸买的 电视。
This is the TV my father bought.

 电视

1. Matching

diànshì
电视

diànhuà
电话

diàndēng
电灯

2. Choose the appropriate sentence according to the picture.

A Lǎoshī xǐhuan hē chá.
老师 喜欢 喝 茶。

B Xiǎomāo ài chī yú.
小猫 爱 吃 鱼。

C Bàba hé māma zài kàn diànshì.
爸爸 和 妈妈 在 看 电视。

09

duì

bu

qǐ

verb

sorry, excuse me

1

A: Qǐng búyào zài zhèr dǎ diànhuà.
请 不要 在这儿打电话。
Please don't make a phone call here.

B: Hǎo de, duìbuqǐ.
好 的，对不起。
OK. I'm sorry.

2

A: Duìbuqǐ, méiyǒu niúnǎi le.
对不起，没有牛奶了。
Sorry, we're out of milk.

B: Méi guānxi, chá yě kěyǐ.
没 关系，茶也可以。
It doesn't matter. Tea is fine with me.

D 对不起

1. Choose the appropriate sentence according to the picture.

A 对不起。
　Duìbuqǐ.

B 请 喝 茶。
　Qǐng hē chá.

C 几点 了？
　Jǐ diǎn le?

2. Choose the right answer.

A: 你 怎么 没 去 学校, 也 没有 打 电话？
　Nǐ zěnme méi qù xuéxiào, yě méiyǒu dǎ diànhuà?

B: ＿＿＿＿, 我 去 医院 了。
　　　　　　wǒ qù yīyuàn le.

A 没关系
　méi guānxi

B 不客气
　bú kèqi

C 对不起
　duìbuqǐ

10

duō
多

shao
少

pronoun

how many, how much

1 duōshao qián
多少　钱
how much money

2 duōshao rén
多少　人
how many people

例句

1. Nǐ yǒu duōshao tóngxué?
   你有　多少　同学？
   How many classmates do you have?

2. Māma mǎile duōshao niúnǎi?
   妈妈买了　多少　牛奶？
   How much milk did Mom buy?

D 多少

1. Choose the right answer.

A: Nǐ yào qù Běijīng _____ tiān?
你 要 去 北京 _____ 天?

B: Wǒ yào qù liǎng gè xīngqī.
我 要 去 两 个 星期。

A nǎlǐ
   哪里

B duōshao
   多少

C shénme
   什么

2. Read the children's song.

Yí gè dà, yí gè xiǎo, yìbiān duō lái yìbiān shǎo.
一个大，一个小，一边多来一边少。
One is big, and one is small. More on one side, and fewer on the other.

Shénme dà, shénme xiǎo? Píngguǒ dà, lǐzi xiǎo.
什么 大，什么 小? 苹果 大，李子小。
Which one is big, and which one is small? Apples are big, and plums are small.

Kuài lái kuài lái shǔ yi shǔ, píngguǒ, lǐzi yǒu duōshao?
快 来 快 来 数一数，苹果、李子有 多少?
Come to count. How many apples and plums are there?

11

房

jiān

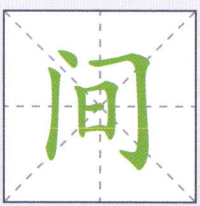

noun

room

1. tā de fángjiān
她的 房间
her room

2. yí gè fángjiān
一个 房间
one room

例句

1. Zhège dà fángjiān shì bàba māma de.
这个 大 房间 是爸爸 妈妈 的。
This big room is my mom and dad's.

2. Tā jiā yǒu liù gè fángjiān.
他家有 六个 房间。
There are six rooms in his home.

F 房间

1. Choose the appropriate sentence according to the picture.

Jiějie zài fángjiān li kàn shū.
A 姐姐在 房间 里看 书。

Mèimei zài fángjiān li huà huàr.
B 妹妹 在 房间 里画画儿。

Jiějie zài fángjiān li shuìjiào.
C 姐姐在 房间 里睡觉。

2. Read and draw.

Fángjiān lǐmiàn yǒu shénme?
房间 里面有 什么?

Fángjiān lǐmiàn yǒu xiǎo chuáng.
房间 里面有 小 床。

Fángjiān lǐmiàn yǒu shénme?
房间 里面有 什么?

Fángjiān lǐmiàn yǒu zhuōyǐ.
房间 里面有 桌椅。

Fángjiān lǐmiàn yǒu shénme?
房间 里面有 什么?

Fángjiān lǐmiàn yǒu diànshì.
房间 里面有 电视。

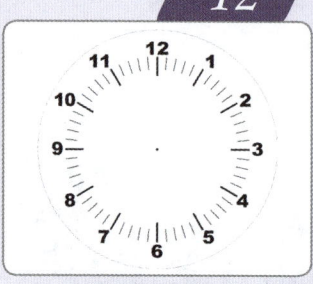

fēn

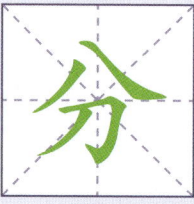

zhōng

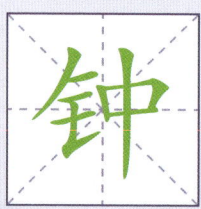

measure word

minute

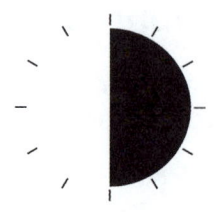

1 sānshí fēnzhōng
三十 分钟
thirty minutes

2 shí diǎn sānshí fēn
十 点 三十 分
ten thirty

例句

1. Duìbuqǐ, wǒ yào wǎn jǐ fēnzhōng.
对不起，我要 晚几 分钟。
Sorry, I'll be late for a few minutes.

2. Zǎoshang wǒ qī diǎn èrshí fēn qù xuéxiào.
早上 我七点 二十分去 学校。
I go to school at 7:20 a.m.

F 分钟

1. **Choose the appropriate sentence according to the picture.**

   Xiànzài shí'èr diǎn le.
   A 现在 十二 点 了。

   Zài yǒu shíwǔ fēnzhōng jiù yī diǎn le.
   B 再 有 十五 分钟 就 一 点 了。

   Wǒ láile shí fēnzhōng le.
   C 我 来了 十 分钟 了。

2. **Choose the right answer.**

   Yì xiǎoshí yǒu
   一小时 有 60 _____ 。

   A diǎn
      点

   B hào
      号

   C fēnzhōng
      分钟

13

Hàn yǔ

noun

Chinese language

1 xué Hànyǔ
学 汉语
to learn Chinese

2 huì shuō Hànyǔ
会 说 汉语
can speak Chinese

例句

1. Tā de Hànyǔ hěn hǎo.
   他的 汉语 很 好。
   His Chinese is very good.

2. Wǒ xǐhuan xuéxí Hànyǔ.
   我 喜欢 学习 汉语。
   I like to study Chinese.

H 汉语

1. Read the sentence and choose the right picture.

Shéi zài shuō Hànyǔ?
谁 在 说 汉语？

2. Read the dialogue and choose the right answer.

Xiǎomíng: Wǒ huì shuō Hànyǔ.
小明： 我 会 说 汉语。

Dàwéi: Wǒ yě huì shuō Hànyǔ.
大为： 我 也 会 说 汉语。

Wèn: Shéi huì shuō Hànyǔ?
问： 谁 会 说 汉语？

A Xiǎomíng
   小明

B Dàwéi
   大为

C Xiǎomíng hé Dàwéi
   小明 和 大为

14

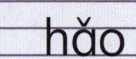

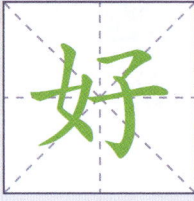

adjective

delicious

1 hěn hǎochī
很 好吃
very delicious

2 bù hǎochī
不 好吃
not tasty

例句

1. Nǐ mǎi de píngguǒ zhēn hǎochī!
你买的 苹果 真 好吃!
The apples you bought are yummy!

2. Miànbāo bǐ mǐfàn hǎochī duō le!
面包 比米饭 好吃 多了!
Bread is much more delicious than rice!

 好吃

1. Read the sentence and choose the right picture.

Miànbāo hěn hǎochī,　dìdi hěn ài chī.
面包 很 好吃，弟弟很爱吃。

A 　B 　C

2. Make a sentence.

① jiějie 姐姐
② hěn 很
③ miànbāo 面包
④ juéde 觉得
⑤ zhège 这个
⑥ hǎochī 好吃

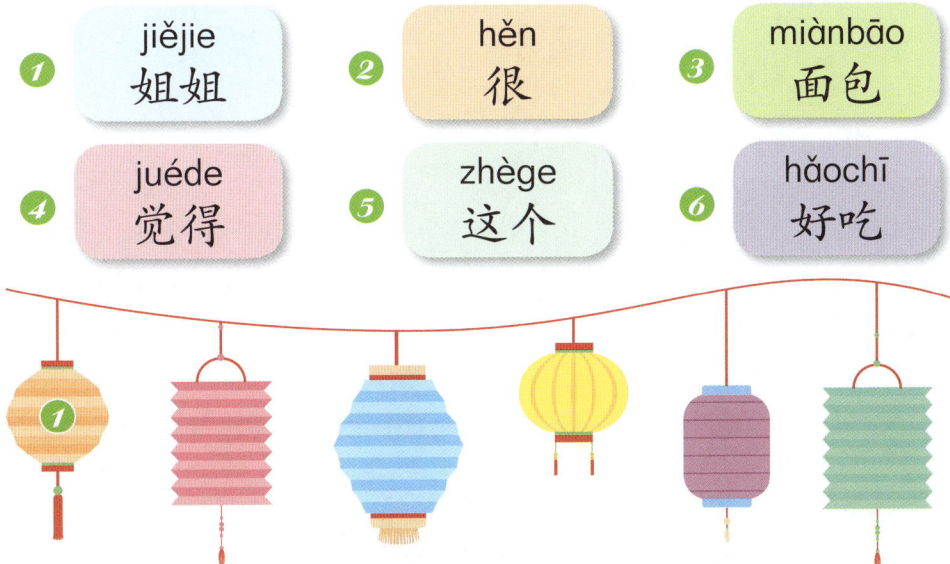

15

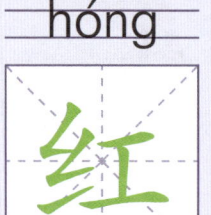

hóng

红

adjective

red

1. hóng bízi
红 鼻子
red nose

2. hónghóng de píngguǒ
红红 的 苹果
red apples

例 句

1. Wǒ de shū shì hóngsè de.
我 的 书 是 红色 的。
My book is red.

2. Lǜsè de zì shì wǒ xiě de,
绿色的字是我写的，
hóngsè de zì shì lǎoshī xiě de.
红色 的 字 是 老师 写 的。
I wrote the green characters, and the teacher wrote the red ones.

1. Circle the right answer in the picture.

A: Nǐ xǐhuan nǎge yánsè de wàzi?
你 喜欢 哪个 颜色 的 袜子？

B: Wǒ xǐhuan hóngsè de.
我 喜欢 红色 的。

2. Make a sentence.

1. mǎi 买
2. māma 妈妈
3. píngguǒ 苹果
4. sān gè 三个
5. le 了

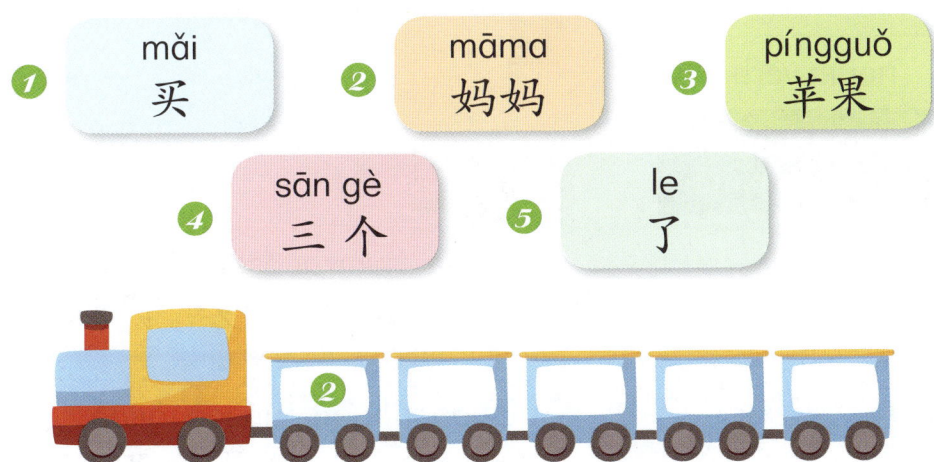

16

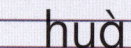

noun; verb

drawing, painting;
to draw, to paint

1 huà huàr
画 画儿
to draw a picture

2 zhōngguóhuà
中国画
Chinese painting

例句

1. Tā de huàr duōshao qián?
   他的画儿 多少 钱?
   How much is his painting?

2. Bàba xǐhuan huà xiāngjiāo.
   爸爸喜欢 画 香蕉。
   Dad likes drawing bananas.

H 画

1. Circle the character "画".

2. Read the children's song.

Huà huàr
画画儿
Drawing

Huà xiǎomāo, huà xiǎogǒu,
画 小猫，画 小狗，
Drawing kittens, and drawing puppies,
Huà zhī xiǎoniǎo bú huì jiào.
画 只 小鸟 不 会 叫。
Drawing a bird that can't chirp.
Nǐ yě huà, wǒ yě huà,
你 也 画，我 也 画，
You draw, and I draw,
Huà zhī xióngmāo zài shuìjiào.
画 只 熊猫 在 睡觉。
Drawing a panda sleeping.

17

huáng

黄

adjective

yellow

1 huáng yánsè
黄　颜色
yellow (color)

2 huángsè de qiānbǐ
黄色　的　铅笔
yellow pencil

例句

1. Nà zhī niǎo shì huángsè de.
那 只 鸟 是　黄色 的。
That bird is yellow.

2. Nǐ xǐhuan zhège huángsè de shūbāo ma?
你 喜欢 这个　黄色　的 书包　吗？
Do you like this yellow schoolbag?

1. Read the dialogue and choose the right picture.

A: Nǎge shì nǐ de shūbāo?
哪个是你的书包？

B: Huángsè nàge, wǒ xǐhuan huángsè.
黄色那个，我喜欢黄色。

A  B  C

2. Coloring

lǜ zhuōzi
绿桌子

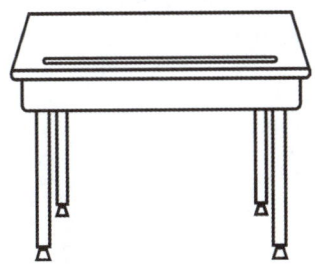

hóng píngguǒ
红苹果

huáng xiāngjiāo
黄香蕉

18

huì

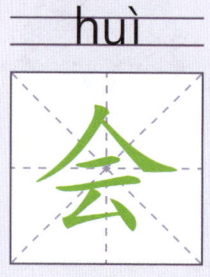

auxiliary verb

can, to be able to

1 huì xiě zì
会写字
can write Chinese characters

2 huì huà huàr
会 画画儿
can draw a picture

例句

1. Wǒ de bàba huì shuō Hànyǔ.
   我 的爸爸会 说 汉语。
   My father can speak Chinese.

2. Tā de gēge huì zuò fàn.
   他的哥哥会 做 饭。
   His elder brother can cook.

H 会

1. Read the dialogue and choose the right picture.

A: Nǐ huì huà huàr ma?
你会 画画儿吗？

B: Wǒ bú huì huà huàr, wǒ huì tiàowǔ.
我 不 会 画画儿，我 会 跳舞。

A　　　　　B

2. Make a sentence.

① huì 会
② Hànzì 汉字
③ hěn duō 很多
④ xiě 写
⑤ mèimei 妹妹

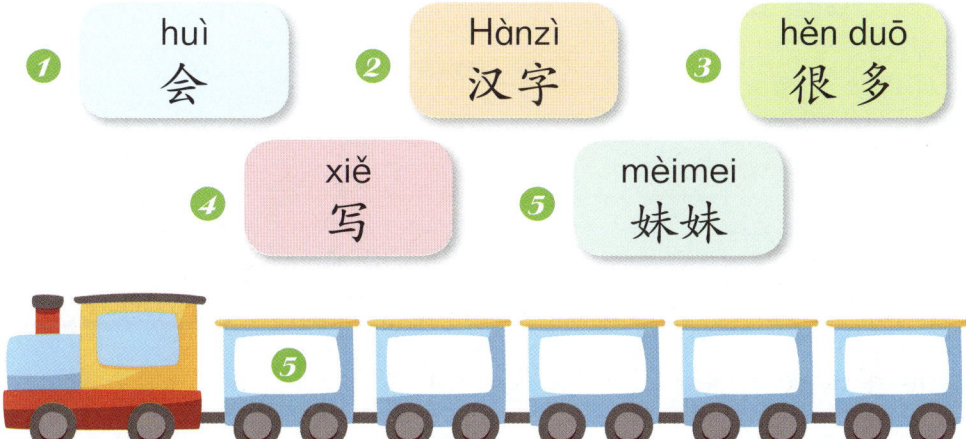

19

jué

觉

de

得

verb

to feel, to think

1 juéde hěn hǎo
觉得 很 好
to feel good

2 juéde lěng
觉得 冷
to feel cold

例句

1. A: Nǐ juéde zhège hǎochī ma?
   你觉得 这个 好吃 吗？
   Do you think this is delicious?
   B: Bù hǎochī, wǒ bù xǐhuan.
   不 好吃，我 不 喜欢。
   It's not. I don't like it.

2. Tā juéde zhè běn shū hěn hǎo.
   她觉得 这 本 书 很 好。
   She thinks this book is very good.

觉得

1. True or false?

Tā juéde xiāngjiāo hěn hǎochī.
她觉得 香蕉 很 好吃。

 T

 F

2. Read the dialogue and color the picture.

A: Nǐ juéde shénme yánsè de piàoliang?
你觉得 什么 颜色的 漂亮？

B: Wǒ xǐhuan hóngsè, wǒ juéde hóng de piàoliang.
我 喜欢 红色，我觉得 红 的 漂亮。

20 可以

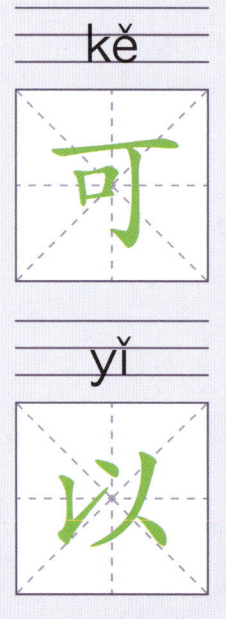

kě
可

yǐ
以

auxiliary verb

may, can

1 bù kěyǐ shuōhuà
不可以 说话
can't talk

2 kěyǐ chī
可以吃
can eat

> 例句

1. Māma, wǒ kěyǐ bù xiě zhège zì ma?
   妈妈，我可以不写 这个 字吗？
   Mom, can I not write this Chinese character?

2. Zhèr kěyǐ zuò shí gè rén.
   这儿可以坐 十个人。
   Ten people can sit here.

可以

1. Read the dialogue and choose the right picture.

A: Wǒ kěyǐ hē chá ma?
我可以喝茶吗？

B: Duìbuqǐ, méiyǒu chá le, nǐ kěyǐ hē niúnǎi.
对不起，没有茶了，你可以喝牛奶。

2. Make a sentence.

① kěyǐ 可以

② nǐ 你

③ qù shuìjiào le 去睡觉了

④ jiǔ diǎn le 九点了

21

kuài

块

measure word

block, chunk, piece, *yuan, the basic unit of money in China*

1 yí kuài qián
一 块 钱
1 *yuan*

2 liǎng kuài miànbāo
两 块 面包
two pieces of bread

例句

1. Zhè běn shū èrshí kuài qián.
这 本 书 二十 块 钱。
This book is twenty *yuan*.

2. Wǒ yào yí kuài miànbāo, xièxie.
我 要 一 块 面包，谢谢。
A piece of bread, thank you.

块

1. True or false?

yí kuài xīguā
一 块 西瓜

☐ T

☐ F

2. Choose the right answer.

    Zhège bāo duōshao qián?
A: 这个 包 多少 钱?

    Jiǔshí
B: 九十 _____ 。

A fēnzhōng 分钟　　B kuài 块　　C hào 号

22

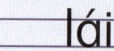

verb

to come

1. lái Zhōngguó
来 中国
to come to China

2. lái xuéxí
来学习
to come to study

例句

1. Wǒ lái Běijīng sān nián le.
我 来 北京 三 年 了。
I have been in Beijing for three years.

2. Xièxie nǐ qǐng wǒmen lái wánr.
谢谢你 请 我们 来玩儿。
Thank you for inviting us.

来

1. Choose the right answer.

A: Nǐ míngtiān _____ wǒ jiā wánr ba.
你 明天 _____ 我家玩儿吧。

B: Hǎo de.
好 的。

A xiě 写   B lái 来   C mǎi 买

2. Matching

lái 来

zuǒ 左

shàng 上

yòu 右

qù 去

xià 下

23 了 — le

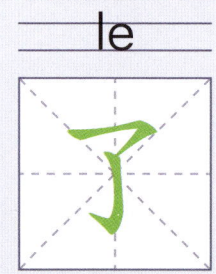

particle

used to indicate that something has taken place or some status has changed, or to indicate an affirmative tone

1 wánrle sānshí fēnzhōng
玩儿了三十 分钟
to have played for thirty minutes

2 shuìjiào le
睡觉 了
to have fallen asleep

例句

1. Tā sān suì le.
   他 三 岁 了。
   He is three years old.

2. Nǐ zǎoshang chī shénme le?
   你 早上 吃 什么 了?
   What did you eat in the morning?

了

1. Read the sentence and choose the right picture.

Māma mǎile yí gè píngguǒ.
妈妈买了一个苹果。

A  B  C

2. Choose the right answer.

    Dìdi qù nǎr le?
A: 弟弟去哪儿了？

    Dìdi qù xuéxiào
B: 弟弟去学校_____。

A ma 吗 B de 的 C le 了

24

lěng

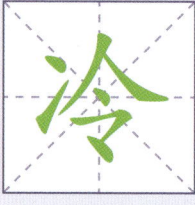

adjective

cold

1 hěn lěng
很 冷
very cold

2 bù lěng
不 冷
not cold

例句

1. Nǐ fángjiān li zhēn lěng!
   你 房间 里 真 冷！
   Your room is so cold!

2. Xuéxiào bǐ wǒ jiā lěng duō le.
   学校 比我家 冷 多了。
   The school is much colder than my home.

冷

1. Choose the appropriate phrase according to the picture.

A 真大 zhēn dà   B 真热 zhēn rè   C 真冷 zhēn lěng

2. Make a sentence.

1. lěng 冷
2. huì 会
3. hěn 很
4. míngtiān 明天

25

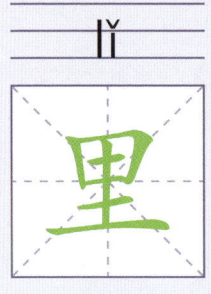

lǐ

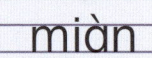

miàn

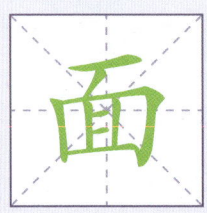

noun

inside, in

1 shǒu lǐmiàn
手 里面
in the hands

2 zài shuǐ lǐmiàn
在 水 里面
in the water

例 句

1. Fángjiān lǐmiàn yǒu shénme?
房间 里面有 什么？
What's in the room?

2. Wǒ xiànzài zài shāngdiàn lǐmiàn.
我 现在在 商店 里面。
I am in the store now.

里面

1. Read the sentence and choose the right picture.

Shūbāo lǐmiàn yǒu zhī gǒu.
书包 里面 有 只 狗。

A

B

2. Choose the right answer.

Mèimei zài fángjiān _____ huà huàr.
妹妹 在 房间 _____ 画画儿。

A shàngmiàn
   上面

B lǐmiàn
   里面

C xiàmiàn
   下面

26

liǎng

两

numeral

two

1. liǎng zhī xiǎoniǎo
两 只 小 鸟
two birds

2. liǎng diǎn
两 点
two o'clock

例句

1. Nàlǐ yǒu liǎng zhī xiǎogǒu.
那里有 两 只 小狗。
There are two puppies there.

2. Wǒ yào liǎng gè píngguǒ hé yí gè miànbāo.
我 要 两 个 苹果 和 一个 面包。
I'd like two apples and a loaf of bread.

两

1. Matching

liǎng gè píngguǒ
两 个 苹果

sān zhī xiǎomāo
三 只 小猫

yí gè rén
一 个 人

2. Choose the right answer.

A: Yǐzi shang yǒu shénme?
椅子上 有 什么？

B: Yǐzi shang yǒu ___ zhī māo.
椅子上 有 ___ 只 猫。

A yī
   一

B liǎng
   两

C sān
   三

lǜ

adjective

green

1. lǜsè
绿色
green (color)

2. lǜchá
绿茶
green tea

例句

1. Zhège lǜ shūbāo zhēn hǎokàn!
这个绿书包真好看!
This green schoolbag is really beautiful!

2. Kàn, nàr yǒu yì zhī lǜsè de xiǎoniǎo.
看,那儿有一只绿色的小鸟。
Look! There is a green bird there.

1. Matching

huáng yǐzi
黄 椅子

lǜ qiānbǐ
绿 铅笔

hóng píngguǒ
红 苹果

2. Write Chinese characters according to the pictures.

lǜsè   gè
绿色：_____ 个

hóngsè   gè
红色：_____ 个

huángsè   gè
黄色：_____ 个

28

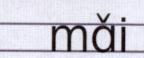
mǎi

verb

to buy

1 | mǎi niúnǎi
买 牛奶
to buy some milk

2 | mǎi miànbāo
买 面包
to buy bread

例句

1. Zhè shì wǒ zuótiān mǎi de qiānbǐ.
这 是 我 昨天 买 的 铅笔。
This is the pencil I bought yesterday.

2. Nǐ qù shāngdiàn mǎi shénme le?
你去 商店 买 什么 了？
What did you buy from the store?

1. Read the phrase and choose the right picture.

mǎi píngguǒ
买 苹果

A

B

2. Matching

shuìjiào
睡觉

mǎi
买

zuò
坐

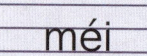

没关系

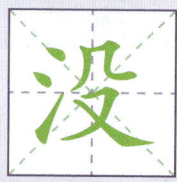
méi

guān

xi

phrase

it's OK, it's all right

1

A: Duìbuqǐ, wǒ méiyǒu hóngsè de qiānbǐ.
对不起，我没有红色的铅笔。
Sorry, I don't have any red pencils.

B: Méi guānxi, zhège yě kěyǐ.
没关系，这个也可以。
Never mind. This one is also OK.

2

A: Duìbuqǐ, méiyǒu niúnǎi le.
对不起，没有牛奶了。
Sorry, we're out of milk.

B: Méi guānxi, wǒmen bú yào le.
没关系，我们不要了。
It doesn't matter. We don't want it any more.

1. Choose the right answers.

A: _____, wǒ jīntiān bú qù nǐ jiā wánr le.
　　　　　 我 今天 不 去 你 家 玩儿 了。

B: _____。

A　duìbuqǐ 对不起　　B　méi guānxi 没 关系　　C　bú kèqi 不客气

2. Read the children's song.

Duìbuqǐ, Méi Guānxi
对不起， 没 关系
Sorry and It Doesn't Matter

Wǒ shuō yí jù "duìbuqǐ",
我 说 一 句 "对不起"，
I say "sorry".

Nǐ shuō yí jù "méi guānxi".
你 说 一 句 "没 关系"。
You say "it doesn't matter".

Hǎo tóngxué, hǎo péngyou,
好 同学， 好 朋友，
Good classmates, and good friends,

Gāogāoxìngxìng shàngxué qu.
高高兴兴 上学 去。
Go to school cheerfully.

30

méi

yǒu

verb; adverb

to not have or own something, to not exist; to have not done something

1 méiyǒu qián
没有 钱
to have no money

2 méiyǒu shuìjiào
没有 睡觉
to haven't gone to sleep

例句

1. Wǒ de gèzi méiyǒu tā gāo.
我 的个子没有 他高。
I am not as tall as him.

2. Jiā li méiyǒu miànbāo le, wǒ xiànzài qù shāngdiàn mǎi jǐ gè.
家里没有 面包 了，我现在 去 商店 买几个。
We're out of bread. Now I'll go to the store to buy some.

M 没有

1. Choose the right answer.

A: Māma, wǒ xiǎng chī xiāngjiāo.
妈妈，我 想 吃 香蕉。

B: Jiā li _____ xiāngjiāo le, nǐ chī píngguǒ ba!
家里 _____ 香蕉 了，你吃 苹果 吧！

A méiyǒu 没有   B hěn 很   C yě 也

2. True or false?

Wǒ méiyǒu hē shuǐ, wǒ hēle niúnǎi.
我 没有 喝 水，我喝了牛奶。

 T

 F

61

31

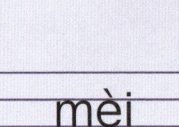

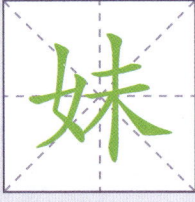

noun

younger sister

1 jiějie hé mèimei
姐姐和 妹妹
elder sister and younger sister

2 liǎng gè mèimei
两 个 妹妹
two younger sisters

例句

1. Mèimei, qǐchuáng le!
妹妹， 起床 了！
Little sister, get up!

2. Tā de mèimei xǐhuan huà huàr.
他的 妹妹 喜欢 画画儿。
His younger sister likes drawing pictures.

妹妹

1. Matching

| gēge | bàba | māma | mèimei |
| 哥哥 | 爸爸 | 妈妈 | 妹妹 |

2. True or false?

Mèimei zài jiā li huà huàr.
妹妹 在家里 画 画儿。

☐ T
☐ F

32

呢

ne

呢

particle

a modal particle used to indicate a question or inquiry

1. Nǐmen shéi shì gēge, shéi shì dìdi ne?
你们 谁是哥哥，谁是弟弟呢?
Which of you is the elder brother and which is the younger brother?

2. A: Zuò zài yǐzi shang de rén shì nǐ ma?
坐在椅子上的人是你吗?
Are you the one sitting in the chair?

B: Nǐ shuō ne?
你说呢?
What do you think?

N 呢

1. Choose the right answer.

A: Wǒ xiǎng qù Běijīng wánr, nǐ _____?
我 想 去 北京 玩儿，你 _____？

B: Wǒ hái méiyǒu xiǎng hǎo.
我 还 没有 想 好。

A. ne 呢   B. ba 吧   C. le 了

2. Read the dialogue and choose the right picture.

A: Nǐ xué shénme ne?
你 学 什么 呢？

B: Wǒ zài xuéxí xiě Hànzì.
我 在 学习 写 汉字。

33

nián

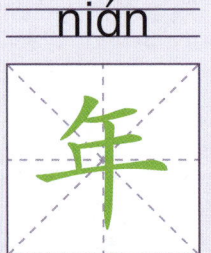

noun; measure word

year; *a measure word used to calculate the number of years*

1. nián
2020 年
the year 2020

2. yì nián
一年
a year

例句

1. Wǒ lái Zhōngguó sān nián le.
   我 来 中国 三 年 了。
   I have been in China for three years.

2. Jīnnián wǒ de dìdi shí suì le.
   今年 我的弟弟十岁了。
   My younger brother is ten years old.

年

1. Circle the character "年".

年	号	月
号	月	年
月	年	号

2. Read the dialogue and choose the right answer.

Jiějie: Zhè jǐ nián nǐ xuéle shénme?
姐姐：这几年你学了什么？

Mèimei: Wǒ xuéle liǎng nián Hànyǔ, yì nián zúqiú.
妹妹：我学了两年汉语、一年足球。

Wèn: Mèimei xuéle jǐ nián Hànyǔ?
问：妹妹学了几年汉语？

A yì nián
   一年

B liǎng nián
   两年

C sān nián
   三年

34

niǎo

鸟

noun

bird

1 yì zhī niǎo
一只鸟
a bird

2 hóngsè de niǎo
红色 的 鸟
red bird

例句

1. Kàn, nàr yǒu sān zhī niǎo!
   看，那儿有 三 只 鸟!
   Look! There are three birds there!

2. Nǐ huì huà xiǎoniǎo ma?
   你会 画 小鸟 吗?
   Can you draw birds?

鸟

1. Read the phrase and choose the right picture.

liǎng zhī niǎo
两 只 鸟

A  B  C

2. Matching

Bàba xǐhuan xiǎogǒu.
爸爸喜欢 小狗。

Māma xǐhuan xiǎomāo.
妈妈 喜欢 小猫。

Wǒ xǐhuan xiǎoniǎo.
我 喜欢 小鸟。

35

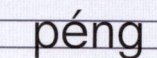
péng

you

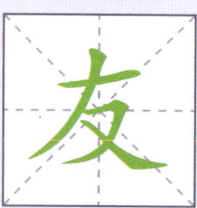

noun

friend

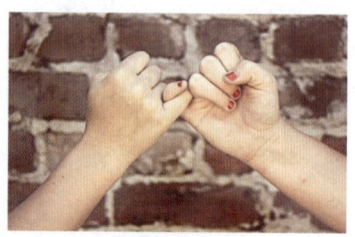

1 hǎo péngyou
好　朋友
good friends

2 jiějie hé tā de péngyou
姐姐和她的　朋友
elder sister and her friends

例句

1. Duōduo hé Míngming shì hǎo péngyou.
朵朵　和　明明　是好 朋友。
Duoduo and Mingming are good friends.

2. Lái rènshi yíxià wǒ de péngyou.
来 认识一下我的　朋友。
Come to meet my friend.

朋友

1. Choose the appropriate word according to the picture.

A jiějie 姐姐   B péngyou 朋友   C māma 妈妈

2. Read the dialogue and choose the right picture.

Xiǎoliàng: Zuótiān nǐ qù nǎr le?
小亮： 昨天 你去哪儿了？

Hónghong: Wǒ hé péngyou qù wánr le.
红红： 我 和 朋友 去玩儿了。

Wèn: Hónghong qù zuò shénme le?
问：红红 去做 什么了？

A    B

36

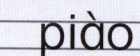
piào

漂

liang

亮

adjective

pretty, beautiful

1 hěn piàoliang
很 漂亮
very beautiful

2 piàoliang de yǎnjing
漂亮 的 眼睛
beautiful eyes

例句

1. Nǐ de zì zhēn piàoliang!
   你的字 真 漂亮!
   The Chinese characters you wrote are really beautiful!

2. Zhè zhī niǎo bǐ nà zhī piàoliang.
   这 只 鸟 比 那 只 漂亮。
   This bird is more beautiful than that one.

漂亮

1. Read the sentence and choose the right picture.

Zhè zhī xiǎomāo de yǎnjing hěn piàoliang.
这 只 小猫 的 眼睛 很 漂亮。

A

B

C

2. Make a sentence.

① xiǎomāo 小猫
② piàoliang 漂亮
③ hěn 很
④ wǒ de 我的

37

qǐ

起

chuáng

床

verb

to get up

1 qǐchuáng le
起床 了
to get up

2 méi qǐchuáng
没 起床
to have't got up

例句

1. Dìdi qǐchuáng le ma?
   弟弟 起床 了吗?
   Has your younger brother got up?

2. Tā zǎoshang qī diǎn qǐchuáng.
   他 早上 七点 起床。
   He gets up at 7:00 a.m.

Q 起床

1. Choose the appropriate word according to the picture.

A qǐchuáng 起床   B shuìjiào 睡觉   C chī fàn 吃饭

2. True or false?

Gēge qī diǎn qǐchuáng.
哥哥七点 起床。

☐ T
☐ F

38

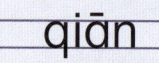

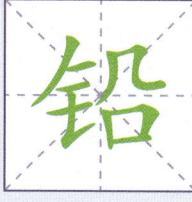

noun

pencil

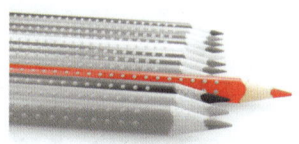

1 hóngsè de qiānbǐ
红色 的 铅笔
red pencil

2 hěn duō qiānbǐ
很 多 铅笔
many pencils

例句

1. Nǐ kàndào wǒ de qiānbǐ le ma?
你 看到 我的 铅笔 了 吗?
Did you see my pencil?

2. Tā zǎoshang qù shāngdiàn mǎi qiānbǐ le.
他 早上 去 商店 买 铅笔 了。
He went to the store to buy pencils in the morning.

| Q | 铅笔 |

1. Matching

diànshì
电视

qiānbǐ
铅笔

shūbāo
书包

2. Choose the right answer.

A: Zhuōzi shang yǒu shénme?
桌子 上 有 什么？

B: Zhuōzi shang yǒu
桌子 上 有 _____ 。

A shūbāo
   书包

B diànhuà
   电话

C qiānbǐ
   铅笔

39

qián

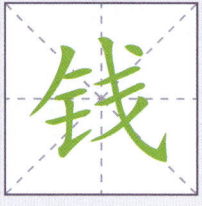

noun

money

1 qiánbāo
钱包
wallet

2 wǔ kuài qián
五 块 钱
five *yuan*

例句

1. Píngguǒ duōshao qián?
苹果 多少 钱？
How much do the apples cost?

2. Wǒ méiyǒu qián le.
我 没有 钱 了。
I have no money left.

钱

1. Choose the appropriate phrase according to the picture.

    shí kuài qián   wǔ kuài qián   yí kuài qián
A 十 块 钱   B 五 块 钱   C 一 块 钱

2. Choose the right answer.

   Wǒ xǐhuan nàge hóngsè de shūbāo. Duōshao qián?
A: 我 喜欢 那个 红色的 书包。多少 钱?

   Wǔshí
B: 五十 _____。

A kuài 块   B gè 个   C zhī 只

40

qǐng

verb

please; to invite

1 qǐng hē chá
请 喝 茶
Please have some tea.

2 qǐng búyào shuōhuà
请 不要 说话
Please don't talk.

> 例 句

1. Qǐng kàn, zhè shì wǒmen jiā de dà diànshì!
请 看，这 是 我们 家 的 大 电视！
Look! This is our big TV!

2. Qǐng zuò! Qǐng hē chá!
请 坐！请 喝 茶！
Please take a seat and have some tea.

1. Read the sentence and choose the right picture.

Qǐng zuò.
请 坐。

A

B

C

2. Choose the right answer.

Jīntiān tài rè le,
A: 今天 太热了，

　　　　　hē shuǐ.
＿＿＿＿喝 水。

Xièxie!
B: 谢谢！

A　qǐng 请　　B　búyào 不要　　C　huì 会

41

rè

热

adjective

hot

1 zhēn rè
真 热
really hot

2 rè shuǐ
热 水
hot water

▶ 例句

1. Chá shì rè de ma?
   茶 是热的 吗?
   Is the tea hot?

2. Jīntiān tiānqì zhēn rè!
   今天 天气 真 热!
   It is really hot today!

R 热

1. Choose the right answer.

A: Wǒmen qù wánr ba.
我们 去玩儿吧。

B: Tiānqì hěn _____, wǒ bù xiǎng qù wánr le.
天气 很 _____，我不 想 去玩儿了。

A rè 热   B duō 多   C piàoliang 漂亮

2. Make a sentence.

① bù xǐhuan 不喜欢
② tā 他
③ rè shuǐ 热水
④ hē 喝

42

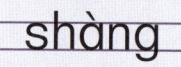

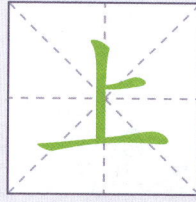

noun

top; above

yǐzi shàngbian
1. 椅子上边
on the chair

zài shàngbian
2. 在 上边
on top

例句

Kàn, shàngbian yǒu yì zhī niǎo!
1. 看， 上边 有一只 鸟！
Look! There is a bird up there.

Zhuōzi shàngbian yǒu yí gè shūbāo.
2. 桌子 上边 有一个 书包。
There is a schoolbag on the table.

1. Choose the right answer.

Huār zài shū de
花儿在书的 _____。

A xiàbian
   下边

B shàngbian
   上边

C nàbian
   那边

2. True or false?

Mèimei de shū shàngbian yǒu yí gè píngguǒ.
妹妹 的 书 上边 有一个 苹果。

 T

 F

43

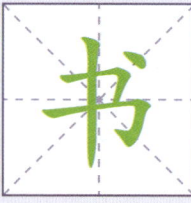

shū

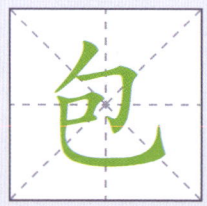

bāo

noun

schoolbag

1. wǒ de shūbāo
我 的 书包
my schoolbag

2. hóngsè de shūbāo
红色 的 书包
red schoolbag

例句

1. Zhège shūbāo li yǒu hěn duō shū.
这个 书包里有 很 多 书。
There are many books in this schoolbag.

2. Nǐ kànjiàn yí gè huángsè de shūbāo le ma?
你 看见 一个 黄色 的 书包 了吗？
Did you see a yellow schoolbag?

1. Matching

sān běn shū
三 本 书

yí gè shūbāo
一个 书包

sì gè qiānbǐ
四个 铅笔

2. Read and draw.

Wǒ de shūbāo shì huángsè de.
我 的 书包 是 黄色 的。

Shūbāo li yǒu lǜsè de qiānbǐ.
书包 里有绿色的铅笔。

Shūbāo li yǒu yí gè hóng píngguǒ hé liǎng běn shū.
书包 里有一个 红 苹果 和 两 本 书。

44

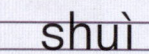

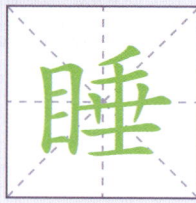

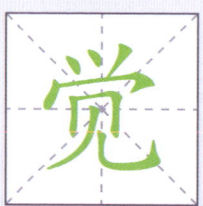

verb

to sleep

1. zài shuìjiào
在 睡觉
to be sleeping

2. jiǔ diǎn shuìjiào
九点 睡觉
to go to bed at nine o'clock

例句

1. Gēge shuìjiào shuìle sān gè xiǎoshí.
哥哥 睡觉 睡了 三 个 小时。
My elder brother slept for three hours.

2. Zuótiān wǎnshang wǒmen méiyǒu shuìjiào.
昨天 晚上 我们 没有 睡觉。
We didn't sleep last night.

睡觉

1. Read the sentence and choose the right picture.

Bàba zài fángjiān li shuìjiào.
爸爸在 房间 里 睡觉。

A

B

C

2. Make a sentence.

① wǒ 我

② shuìjiào 睡觉

③ jiǔ diǎn 九点

④ wǎnshang 晚上

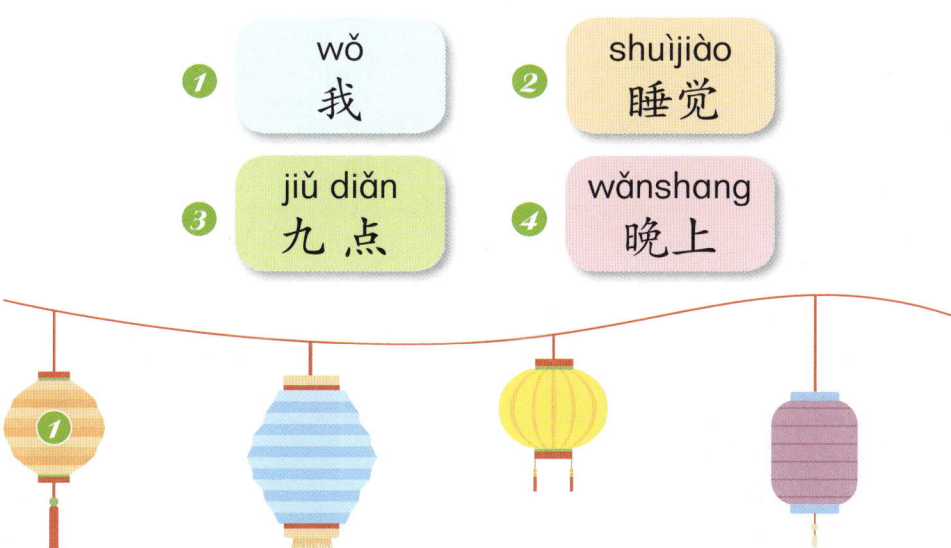

45

shuō
huà

说
话

verb

to say, to speak, to talk

1 zài shuōhuà
在 说话
to be talking

2 búyào shuōhuà
不要 说话
don't talk

例句

1. Wǒ dìdi jīnnián liǎng suì, huì shuōhuà le.
我弟弟今年 两 岁，会 说话 了。
My younger brother is two years old and can talk.

2. Tāmen shuōle yì wǎnshang de huà.
他们 说了一 晚上 的 话。
They talked all night.

说话

1. Matching

shuōhuà
说话

qǐchuáng
起床

shuìjiào
睡觉

2. Read the sentence and choose the right picture.

Xiànzài wǒmen búyào shuōhuà.
现在 我们 不要 说话。

 A  B  C

46

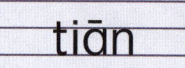

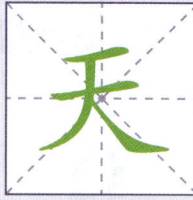

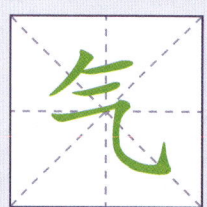

noun

weather

1 hǎo tiānqì
好 天气
good weather

2 tiānqì hěn lěng
天气 很 冷
very cold weather

> 例句

1. Jīntiān de tiānqì zhēn rè!
今天 的天气 真 热!
It is really hot today!

2. Běijīng de tiānqì zěnmeyàng?
北京 的天气 怎么样?
What is the weather like in Beijing?

T 天气

1. Choose the right answer.

A: Míngtiān ____ hǎo ma? Wǒ yào qù gōngyuán.
   明天 ____ 好吗？我要去 公园。

B: Míngtiān bù lěng yě bú rè.
   明天 不冷 也不热。

A. wǎnshang 晚上　　B. tiānqì 天气　　C. wǔ tiān 五天

2. True or false?

Jīntiān tiānqì bù hǎo, wǒ zài jiā li wánr.
今天 天气不好，我在家里玩儿。

 T

 F

47

tóng

同

xué

学

noun

classmate

1. wǒ de tóngxué
我的 同学
my classmates

2. liǎng gè tóngxué
两 个 同学
two classmates

例句

1. Tāmen shì yí gè xuéxiào de tóngxué.
他们 是一个 学校 的 同学。
They are schoolmates.

2. Wǒ hé tóngxué qù chī fàn le.
我 和 同学 去 吃 饭 了。
I went to dinner with my classmate.

同学

1. Read the sentence and choose the right picture.

Wǒ de tóngxué gèzi bǐ wǒ gāo.
我 的 同学 个子 比 我 高。

A  B  C

2. Choose the right answer.

Nǐ zài jiā ma?
A: 你在家吗？

Bú zài, wǒ zài hé _____ wánr.
B: 不在，我在和 _____ 玩儿。

A lǎoshī 老师　　B xuéshēng 学生　　C tóngxué 同学

48

wán

verb

to play

1 zài fángjiān li wánr
在 房间 里 玩儿
to play in the room

2 hé xiǎomāo wánr
和 小猫 玩儿
to play with the cat

例句

1. Nǐmen zài wánr shénme?
   你们 在 玩儿 什么?
   What are you playing?

2. Nǐ huì wánr zhège ma?
   你 会 玩儿 这个 吗?
   Can you play this?

 玩

1. Read the word and choose the right picture.

wánr
玩儿

2. Read the sentence and choose the right picture.

Zuótiān, wǒ hé tóngxué wánrle liǎng gè xiǎoshí.
昨天，我和 同学 玩儿了 两 个 小时。

49

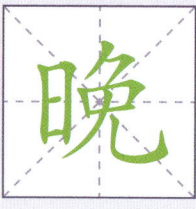

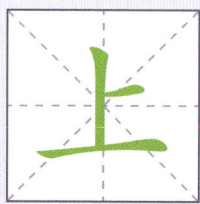

noun

evening, night

1. wǎnshang qī diǎn sānshíwǔ
晚上　七点 三十五
7:35 p.m.

2. wǎnshang hǎo
晚上　好
Good evening!

例句

1. Jīntiān wǎnshang chī shénme?
今天　晚上　吃　什么？
What's for dinner tonight?

2. Mèimei kànle yí gè wǎnshang de shū.
妹妹　看了一个　晚上的书。
My younger sister read a book all night.

W 晚上

1. Choose the right answers.

Xīngqīliù, Xiǎohóng　　　　bā diǎn qǐchuáng,
星期六，小红 _____ 八点 起床，

jiǔ diǎn shuìjiào.
_____ 九点 睡觉。

A　zǎoshang 早上　　B　zhōngwǔ 中午　　C　wǎnshang 晚上

2. Read the word and choose the right picture.

wǎnshang
晚上

A

B

C

50

xià

下

noun

below, under

1 zài yǐzi xià
在椅子下
under the chair

2 shù xià
树下
under the tree

例句

1. Chuáng xià de shū shì shéi de?
床下的书是谁的？
Whose book is it under the bed?

2. A: Duìbuqǐ, nǐ kànjiàn wǒ de shūbāo le ma?
对不起，你看见我的书包了吗？
Excuse me, did you see my schoolbag?

   B: Kànkan zhuōzi xià yǒu méiyǒu?
   看看桌子下有没有？
   See if it is under the table.

1. Read the sentence and choose the right picture.

Nàge rén zài zhuōzi xià.
那个人在桌子下。

2. Circle the right answer in the picture.

Bízi de xiàmiàn shì shénme?
鼻子的 下面 是 什么？

51

xiāng

香

jiāo

蕉

noun

banana

1 hěn duō xiāngjiāo
很 多 香蕉
many bananas

2 chī xiāngjiāo
吃 香蕉
to eat bananas

例句

1. Wǒ juéde xiāngjiāo bǐ píngguǒ hǎochī.
   我 觉得 香蕉 比 苹果 好吃。
   I think bananas are tastier than apples.

2. Zhè shì shéi mǎi de xiāngjiāo?
   这 是 谁 买 的 香蕉？
   Who bought these bananas?

X 香蕉

1. Circle the right answer in the picture.

xiāngjiāo
香蕉

2. Read the sentence and choose the right picture.

Jiějie zài chī xiāngjiāo.
姐姐在吃 香蕉。

A    B    C

52

xiě

写

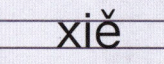

verb

to write

1 xiě Hànzì
写汉字
to write a Chinese character

2 xiěshang míngzi
写上 名字
to write one's name

例句

Tā xiěle yì běn shū.
1. 他写了一本 书。
He wrote a book.

Gēge, nǐ zāi xiě shénme?
2. 哥哥，你在写 什么？
Elder brother, what are you writing?

X 写

1. Read the sentence and choose the right picture.

Mèimei xǐhuan xiě Hànzì.
妹妹 喜欢 写汉字。

A

B

C

2. Read and draw/write.

huà yí gè shūbāo
画一个书包

xiě yí gè Hànzì
写一个汉字

53

xué

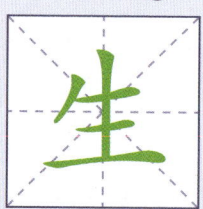

shēng

noun

student

1 xiǎoxuéshēng
小学生
pupils

2 lǎoshī hé xuéshēng
老师和 学生
teacher and students

例句

1. Wǒ de gēge shì dàxuéshēng.
我 的哥哥是 大学生。
My elder brother is a college student.

2. Nǐmen xuéxiào yǒu duōshao xuéshēng?
你们 学校 有 多少 学生?
How many students are there in your school?

X 学生

1. Read the sentence and choose the right picture.

Tā shì yí gè dàxuéshēng.
她是一个 大学生。

A

B

C

2. Choose the right answer.

Zhèlǐ yǒu duōshao gè xuéshēng?
这里有 多少 个 学生？

A gè
   4个

B gè
   5个

C gè
   6个

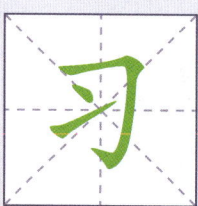

verb

to study, to learn

1. xuéxí Hànyǔ
学习汉语
to learn Chinese

2. xuéxí huà huàr
学习画画儿
to learn to draw

例句

1. Gēge xǐhuan xuéxí.
哥哥喜欢学习。
My elder brother likes studying.

2. Wǒ zài xuéxí zěnme zuò miànbāo.
我在学习怎么做面包。
I am learning how to make bread.

X 学习

1. Read the word and choose the right picture.

xuéxí
学习

2. Make a sentence.

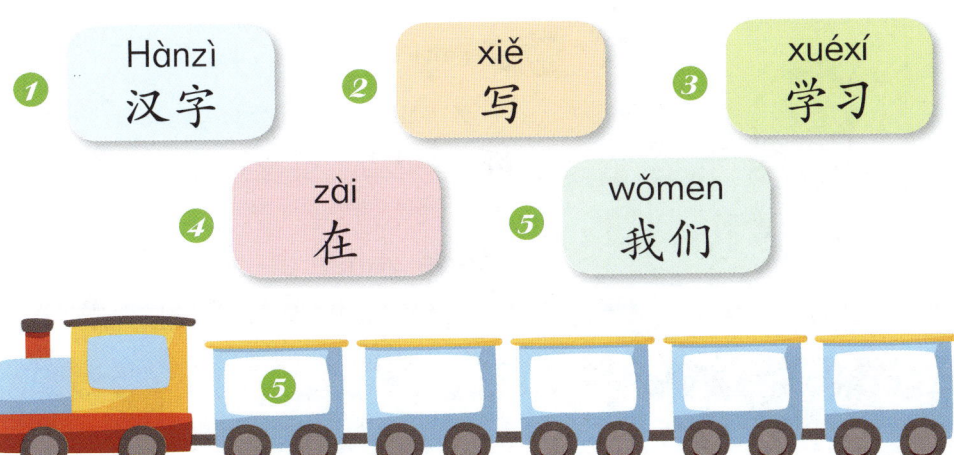

55

yán

sè

noun

color

1 huáng yánsè
黄 颜色
yellow color

2 hěn duō yánsè
很 多 颜色
many colors

例句

1. Nǐ xǐhuan shénme yánsè?
   你喜欢 什么 颜色？
   What color do you like?

2. Zhège yánsè de shūbāo hěn piàoliang.
   这个 颜色的 书包 很 漂亮。
   The schoolbag of this color is very beautiful.

颜色

1. Choose the right answer.

A: Xiāngjiāo shì shénme yánsè de?
香蕉 是 什么 颜色 的？

B: Xiāngjiāo shì _____ de.
香蕉 是 _____ 的。

A huángsè
   黄色

B lǜsè
   绿色

C hóngsè
   红色

2. Read and color.

Tā de tóufa shì huángsè de.
她的头发是 黄色 的。

Tā de shūbāo shì lǜsè de.
她的 书包 是绿色的。

Tā de yīfu shì hóngsè de.
她的衣服是 红色的。

56

yào

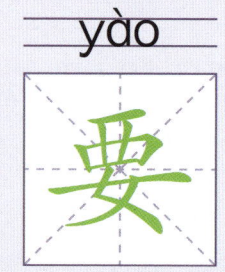

auxiliary verb

will, shall

1. yào xià yǔ le
要 下 雨 了
It is going to rain.

2. búyào dǎ diànhuà
不要打 电话
Don't call.

例句

1. Wǒ yào qù xuéxiào le.
我 要 去 学 校 了。
I am going to school.

2. Nǐ yào chī píngguǒ ma?
你要吃 苹果 吗?
Do you want to eat an apple?

 要

1. Read the sentence and choose the right picture.

Māma zuò de miànbāo hěn hǎochī, wǒ yào chī yí gè.
妈妈 做 的 面包 很 好吃，我 要 吃 一个。

A　　　B　　　C

2. Choose the right answer.

　　Hé wǒ qù shāngdiàn hǎo ma?
A: 和 我 去 商店 好 吗？

　　Duìbuqǐ, xiànzài wǒ　　　　qù xuéxiào le.
B: 对不起，现在 我 ＿＿＿＿ 去 学校 了。

A　yě 也　　B　yào 要　　C　bù 不

113

57

yě

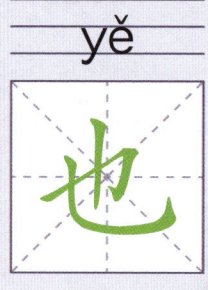

adverb

also, too, as well, either

1 Wǒ xǐhuan chī píngguǒ, yě xǐhuan chī xiāngjiāo.
我 喜欢 吃 苹果，也 喜欢 吃 香蕉。
I like eating apples and also bananas.

2 Xiǎogǒu zài shuìjiào, xiǎomāo yě zài shuìjiào.
小狗 在 睡觉，小猫 也在 睡觉。
The puppy is sleeping, so is the kitten.

1. Choose the right answer.

Gēge ài chī miàntiáor, wǒ _____ ài chī.
哥哥爱吃面条儿，我 _____ 爱吃。

A yào 要 B yě 也 C zài 在

2. Complete the sentence with a Chinese character according to the picture.

Wǒ de bàba shì yīshēng, māma _____ shì yīshēng.
我的爸爸是医生，妈妈 _____ 是医生。

58

医
yī

生
shēng

noun

doctor

1 kàn yīshēng
看 医生
to see a doctor

2 liǎng gè yīshēng
两 个 医生
two doctors

例句

1. Wǒ bàba shì yīshēng.
我 爸爸 是 医生。
My father is a doctor.

2. Yīshēng, wǒ de yǎnjing zěnme le?
医生，我 的 眼睛 怎么 了?
Doctor, what's wrong with my eyes?

Y 医生

1. Matching

yīshēng
医生

lǎoshī
老师

tóngxué
同学

2. Complete the dialogue with Chinese characters according to the picture.

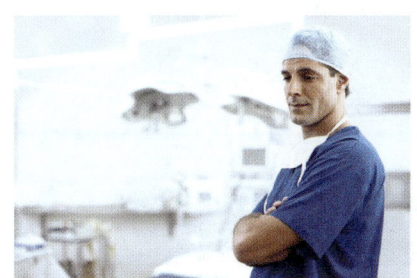

A: Nǐ bàba shì lǎoshī ma?
你爸爸是老师吗？

B: Bú shì, tā shì
不是，他是 _____ 。

59

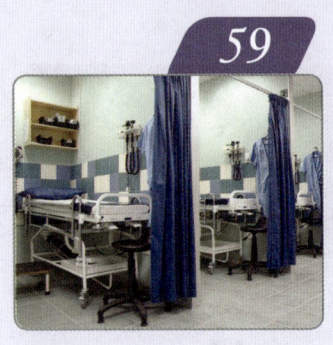

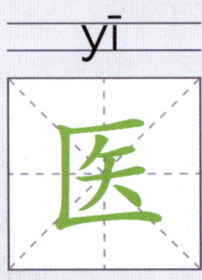

yī
医

yuàn
院

noun

hospital

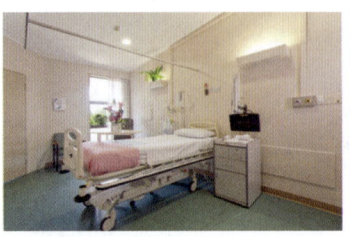

1 yīyuàn li
医院 里
in the hospital

2 qù yīyuàn
去 医院
to go to the hospital

例句

1. Tā qù yīyuàn kàn yǎnjing le.
   他去 医院 看 眼睛 了。
   He went to the hospital to have his eyes checked.

2. Yīyuàn zěnme zǒu?
   医院 怎么 走?
   How do I get to the hospital?

医院

1. Matching

2. Complete the dialogue with Chinese characters according to the picture.

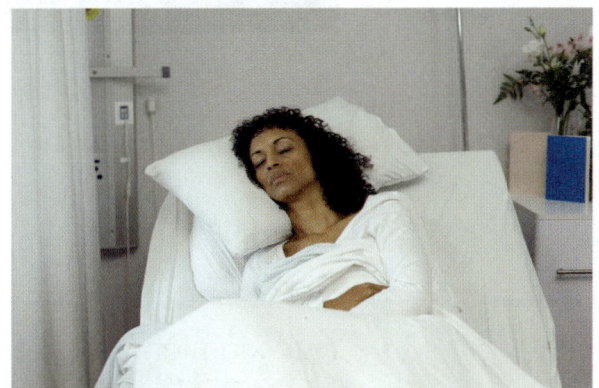

A: Zuótiān wǎnshang, nǐ māma qù nǎr le?
昨天 晚上，你妈妈去哪儿了？

B: Wǒ māma shēngbìng le, tā qù _____ le.
我 妈妈 生病 了，她去 _____ 了。

60

yǐ
椅
zi
子

noun

chair

1 zhuōzi hé yǐzi
桌子 和 椅子
tables and chairs

2 huángsè de yǐzi
黄色 的 椅子
yellow chairs

▶ 例 句

1. Yǐzi xiàmiàn yǒu yì zhī māo.
椅子下面 有一只 猫。
There is a cat under the chair.

2. Fángjiān lǐmiàn méiyǒu yǐzi.
房间 里面 没有椅子。
There are no chairs in the room.

椅子

1. Read the word and choose the right picture.

yǐzi
椅子

A   B   C

2. Read and draw.

Yì zhī xiǎomāo zài yǐzi shang shuìjiào.
一只 小猫 在椅子 上 睡觉。

61

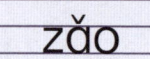
zǎo

shang

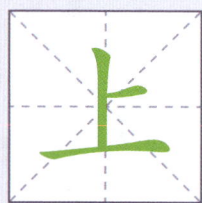

noun

morning

1 zǎoshang hǎo
早上　好
Good morning!

2 zǎoshang qī diǎn
早上　七点
7:00 a.m.

例句

1. Nǐ zǎoshang jǐ diǎn qù xuéxiào?
你　早上 几点 去 学校？
What time do you go to school in the morning?

2. Wǒ zǎoshang chīle yí gè miànbāo.
我　早上 吃了一个 面包。
I had a loaf of bread in the morning.

Z 早上

1. Read the dialogue and choose the right picture.

A: Xiànzài jǐ diǎn le?
   现在 几点了？

B: Zǎoshang bā diǎn.
   早上　八点。

 A  B  C

2. Matching

zǎoshang
早上

zhōngwǔ
中午

wǎnshang
晚上

62

zěn

me

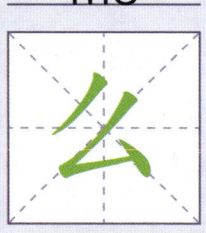

pronoun

how, why

1 zěnme qù
怎么 去
how to go

2 zěnme xiě
怎么 写
how to write

例 句

1. Bàba, nǐ de yǎnjing zěnme le?
爸爸，你的 眼睛 怎么 了?
Dad, what's wrong with your eyes?

2. Mèimei zěnme bù gāoxìng le?
妹妹 怎么 不 高兴 了?
Why is my younger sister unhappy?

怎么

1. Choose the right answer.

A: Mèimei míngtiān _____ qù xuéxiào?
　　妹妹　明天　_____ 去 学校？

B: Tā hé gēge zuò  qù xuéxiào.
　　她和哥哥坐　　　　去 学校。

A　zěnme 怎么　　B　shénme 什么　　C　duōshao 多少

2. Make a sentence.

① méi 没　② nǐ 你　③ qiānbǐ 铅笔　④ zěnme 怎么　⑤ mǎi 买

125

63

zěn

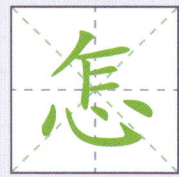

me

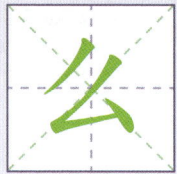

yàng

pronoun

how, how about

1 Nǐ juéde wǒ huà de zěnmeyàng?
你觉得我画得怎么样?
What do you think of my painting?

2 Jīntiān wǎnshang chī mǐfàn, zěnmeyàng?
今天 晚上 吃米饭,
怎么样?
How about having rice this evening?

Z 怎么样

1. Read the dialogue and choose the right picture.

A: Hē bēi niúnǎi zěnmeyàng?
喝杯牛奶怎么样？

B: Hǎo de, xièxie.
好的，谢谢。

A

B

2. Make a sentence.

① míngtiān 明天

② zěnmeyàng 怎么样

③ tiānqì 天气

64

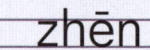

adverb

really, truly

1 zhēn gāoxìng
真 高兴
really happy

2 zhēn piàoliang
真 漂亮
really beautiful

例句

1. Xiāngjiāo zhēn hǎochī!
   香蕉 真 好吃!
   Bananas are really delicious!

2. Dìdi de shǒu zhēn xiǎo, bàba de shǒu zhēn dà!
   弟弟的手 真 小, 爸爸的手 真 大!
   My younger brother's hands are so small, and my father's hands are so big!

z 真

1. Read the sentence and choose the right picture.

Jīntiān, wǒmen zhēn gāoxìng!
今天，我们 真 高兴！

A  B

2. Read and draw.

Yú zhēn dà!
鱼 真 大！

Yú zhēn duō!
鱼 真 多！

65

zhī

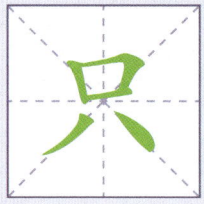

measure word

a measure word used for animals such as cats, dogs and birds or for one of a pair

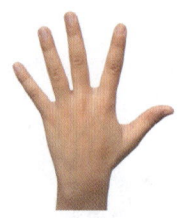

1 yì zhī shǒu
一只 手
one hand

2 sān zhī māo
三 只 猫
three cats

例句

1. Nà zhī xiǎogǒu shì wǒ jiā de.
那只 小狗 是我家的。
That puppy is ours.

2. Zhè zhī xiǎoniǎo huì shuōhuà.
这 只 小鸟 会 说话。
This little bird can talk.

只

1. Matching

liǎng zhī gǒu
两 只 狗

yì zhī niǎo
一 只 鸟

yì zhī māo
一 只 猫

2. Choose the right answer.

Wǒ jiā yǒu wǔ _____ xiǎogǒu.
我 家 有 五 _____ 小 狗。

A kǒu
   口

B kuài
   块

C zhī
   只

66

zhuō
桌

zi
子

noun

table, desk

1 cháng zhuōzi
长　桌子
long table

2 zhuōzi shang
桌子　上
on the table

例句

1. Zhuōzi shàngbian yǒu shénme?
桌子　上边　有　什么？
What's on the table?

2. Māma qù shāngdiàn mǎi zhuōzi le.
妈妈　去　商店　买　桌子了。
Mom went to the store to buy a table.

Z 桌子

1. Read the sentence and choose the right picture.

Fángjiān li méiyǒu zhuōzi, māma míngtiān qù mǎi.
房间 里没有 桌子，妈妈 明天 去 买。

2. Read and draw.

Zhuōzi shang yǒu sān gè píngguǒ hé yí gè xiāngjiāo.
桌子 上 有 三个 苹果 和 一个 香蕉。

67

zì

noun

(Chinese) character

1 xiě zì
写字
to write Chinese characters

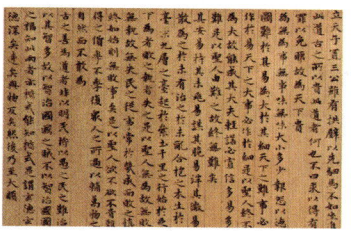

2 hěn duō zì
很 多 字
many Chinese characters

例句

1. Wǒ bú rènshi zhège zì.
我 不 认识 这个 字。
I don't know this Chinese character.

2. Zhège zì zěnme xiě?
这个 字 怎么 写?
How do I write this Chinese character?

Z 字

1. Choose the appropriate sentence according to the phrase.

> qī gè zì
> 七个字

A Bàba shì shíyī yuè qù Běijīng de.
爸爸是十一月去北京的。

B Wǒ zǎoshang bā diǎn qǐchuáng.
我 早上 八点 起床。

C Jīntiān Xīngqī'èr.
今天 星期二。

2. Make a sentence.

① zì 字
② hěn duō 很多
③ gēge 哥哥
④ zuótiān 昨天
⑤ xiěle 写了
⑥ wǎnshang 晚上

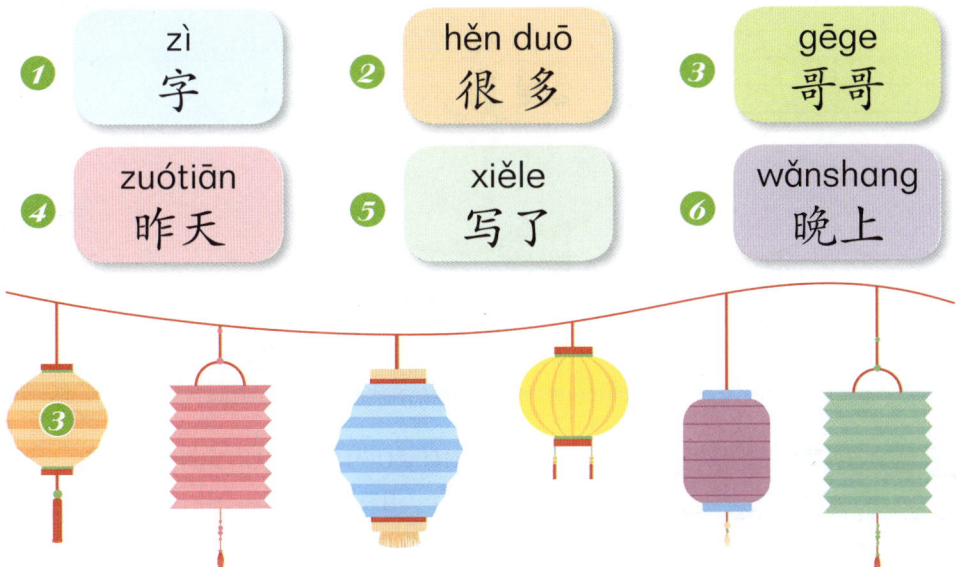

68

zuó

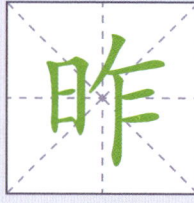

昨

tiān

天

noun

yesterday

1 zuótiān hé jīntiān
昨天 和 今天
yesterday and today

2 zuótiān wǎnshang
昨天 晚上
last night

例句

Zuótiān shì hào.
1. 昨天 是15 号。
It was the 15th yesterday.

Māma zuótiān qù Běijīng le.
2. 妈妈 昨天 去 北京 了。
Mom went to Beijing yesterday.

Z 昨天

1. Read the sentence and choose the right picture.

Zuótiān wǒ zài xuéxiào xuéxí.
昨天 我在 学校 学习。

A  B  C

2. Choose the right answer.

A: Māma qù nǎr le?
妈妈 去哪儿了？

B: Tā qù shuìjiào le.
她去 睡觉 了。

A: Xiànzài wǎnshang bā diǎn, māma zěnme shuìjiào le?
现在 晚上 八点，妈妈 怎么 睡觉 了？

B: Tā _____ yào qù Běijīng.
她 _____ 要去 北京。

A zuótiān 昨天   B míngtiān 明天   C yì tiān 一天

69

zuò

verb

to sit

1 zuò zài yǐzi shang
坐 在 椅子 上
to sit on the chair

2 qǐng zuò
请 坐
Please sit down.

例句

1. Wǒ kěyǐ zuò zhèr ma?
   我可以坐这儿吗？
   Can I sit here?

2. Búyào zuò zài zhuōzi shang.
   不要 坐 在 桌子 上。
   Don't sit on the table.

Z 坐

1. Choose the right answer.

Dìdi: Nǐ zěnme bù _____ xià?
弟弟：你 怎么 不 _____ 下？

Jiějie: Wǒ yào hē shuǐ.
姐姐：我 要 喝 水。

A chī
   吃

B shuō
   说

C zuò
   坐

2. Read the sentence and choose the right picture.

Wǒ hé tóngxuémen méiyǒu zuò zài yǐzi shang.
我 和 同学们 没有 坐 在 椅子 上。

A

B

70

zuò

verb

to do, to make

1 zuò fàn
做 饭
to cook

2 zuò péngyou
做 朋友
to be friends

例句

1. Māma zài zuò miànbāo.
妈妈 在 做 面包。
Mom is making bread.

2. Gēge, nǐ zài zuò shénme?
哥哥, 你 在 做 什么?
Elder brother, what are you doing?

1. Read the word and choose the right picture.

zuò

做

A

B

C

2. Choose the right answer.

Jīntiān, jǐ gè tóngxué lái wǒ jiā wánr. Bàba
今天，几个 同学 来我家玩儿。爸爸
le hěn duō hǎochī de.
_____ 了 很 多 好吃 的。

A　zuò 坐　　B　zuò 做　　C　xiě 写

Copyright © 2020 Beijing Language and Culture University Press
& Phoenix Tree Publishing Inc.

ALL RIGHTS RESERVED.

No part of this book covered by the copyright hereon may be reproduced or used in any form or by any means—graphic, electronic, including photocopying, taping, web distribution, information storage and retrieval system, or in any other manner, without prior written permission from the publisher.
Phoenix Tree Publishing Inc. has the exclusive right of general distribution of this publication throughout North America (including the United States, Canada and Mexico). No organization or individual is allowed to distribute or sell this publication in North America without prior written permission from Phoenix Tree Publishing Inc. Beijing Language and Culture University Press has the rights of general distribution and sale of this publication in regions outside of North America.

Graphic YCT Vocabulary (Level Ⅱ)
Lead Author: Jiang Liping
Main Authors: Cao Gang & Chen Xin
ISBN: 978-1-62575-304-5
Library of Congress Control Number: 2020942511
First Edition
First Printing: September 2020
Printed in China

Editors: Huang Ying & Wang Xuefei
Phoenix Tree Publishing Inc.
5660 North Jersey Ave, Chicago, IL 60659
Phone: 773.250.0707   Fax: 773.250.0808
Email: marketing@phoenixtree.com

For information about special discounts for bulk purchases,
please contact the publisher at the address above.

Find out more about Phoenix Tree Publishing Inc. at
www.phoenixtree.com